IDEIAS PARA ADIAR O FIM DO MUNDO

2ª *edição*
13ª *reimpressão*

COMPANHIA DAS LETRAS

Copyright © 2019, 2020 by Ailton Krenak

Copyright do posfácio © 2020 by Eduardo Viveiros de Castro

Grafia atualizada segundo o Acordo Ortográfico da Língua Portuguesa de 1990, que entrou em vigor no Brasil em 2009.

Capa e projeto gráfico
Alceu Chiesorin Nunes

Preparação
Julia Passos

Revisão
Thaís Totino Richter e Isabel Cury

Dados Internacionais de Catalogação na Publicação (CIP)
(Câmara Brasileira do Livro, SP, Brasil)

Krenak, Ailton
 Ideias para adiar o fim do mundo / Ailton Krenak. — 2ª ed. — São Paulo : Companhia das Letras, 2020.

 Bibliografia.
 ISBN 978-85-359-3358-1

 1. Civilização 2. Ecologia 3. Humanidade 4. Impacto ambiental 5. Meio ambiente – Aspectos sociais 6. Natureza – Conservação 7. Paisagens – Proteção 8. Povos indígenas 9. Proteção ambiental 10. Recursos naturais – Conservação I. Título.

20-36247	CDD 304.2

Índice para catálogo sistemático:
1. Meio ambiente : Influência do homem : Ecologia   304.2

Cibele Maria Dias – Bibliotecária – CRB-8/9427

Todos os direitos desta edição reservados à
EDITORA SCHWARCZ S.A.
Rua Bandeira Paulista, 702, cj. 32
04532-002 — São Paulo — SP
Telefone: (11) 3707-3500
www.companhiadasletras.com.br
www.blogdacompanhia.com.br
facebook.com/companhiadasletras
instagram.com/companhiadasletras
twitter.com/cialetras

SUMÁRIO

Ideias para adiar o fim do mundo, 7
Do sonho e da terra, 35
A humanidade que pensamos ser, 55

Posfácio — Perguntas inquietantes,
Eduardo Viveiros de Castro, 73

Agradecimentos, 85
Referências, 89
Sobre este livro, 95
Sobre o autor, 99

IDEIAS PARA ADIAR O FIM DO MUNDO

A primeira vez que desembarquei no aeroporto de Lisboa, tive uma sensação estranha. Por mais de cinquenta anos, evitei atravessar o oceano por razões afetivas e históricas. Eu achava que não tinha muita coisa para conversar com os portugueses — não que isso fosse uma grande questão, mas era algo que eu evitava. Quando se completaram quinhentos anos da travessia de Cabral e companhia, recusei um convite para vir a Portugal. Eu disse: "Essa é uma típica festa portuguesa, vocês vão celebrar a invasão do meu canto do mundo. Não vou, não". Porém, não transformei isso numa rixa e pensei: "Vamos ver o que acontece no futuro".

Em 2017, ano em que Lisboa foi capital ibero-americana de cultura, ocorreu um ciclo de eventos muito interessante, com performances de teatro, mostra de cinema e palestras. De novo, fui convidado a participar, e, dessa vez, nosso amigo Eduardo Viveiros de Castro faria uma conferência no teatro Maria Matos, chamada "Os involuntários da pátria". Então, pensei: "Esse assunto me interessa, vou também". No dia seguinte ao da fala do Eduardo, tive a oportunidade de encontrar muita gente que se interessou pela estreia do documentário *Ailton Krenak e o sonho da pedra*, dirigido por Marco Altberg. O filme é uma boa introdução ao tema que quero tratar: como é que, ao longo dos últimos 2 mil ou 3 mil anos, nós construímos a ideia de humanidade? Será que ela não está na base de muitas das escolhas erradas que fizemos, justificando o uso da violência?

A ideia de que os brancos europeus podiam sair colonizando o resto do mundo estava sustentada na premissa de que havia uma humanidade esclarecida que precisava ir ao encontro da humanidade obscurecida, trazendo-a para essa luz incrível. Esse chamado para o seio da civilização sempre foi justificado pela noção de que existe um jeito de estar aqui na Terra, uma certa verdade, ou uma concepção de verdade, que guiou muitas das escolhas feitas em diferentes períodos da história.

Agora, no começo do século XXI, algumas colaborações entre pensadores com visões distintas originadas em diferentes culturas possibilitam uma crítica dessa ideia. Somos mesmo uma humanidade?

Pensemos nas nossas instituições mais bem consolidadas, como universidades ou organismos multilaterais, que surgiram no século XX: Banco Mundial, Organização dos Estados Americanos (OEA), Organização das Nações Unidas (ONU), Organização das Nações Unidas para a Educação, a Ciência e a Cultura (Unesco). Quando a gente quis criar uma reserva da biosfera em uma região do Brasil, foi preciso justificar para a Unesco por que era importante que o planeta não fosse devorado pela mineração. Para essa instituição, é como se bastasse manter apenas alguns lugares como amostra grátis da Terra. Se sobrevivermos, vamos brigar pelos pedaços de planeta que a gente não comeu, e os nossos netos ou tataranetos — ou os netos de nossos tataranetos — vão poder passear para ver como era a Terra no passado. Essas agências e instituições foram configuradas e mantidas como estruturas dessa humanidade. E nós legitimamos sua perpetuação, aceitamos suas decisões, que muitas vezes são ruins e nos causam perdas, porque estão a serviço da humanidade que pensamos ser.

As andanças que fiz por diferentes culturas e lugares do mundo me permitiram avaliar as garantias dadas ao integrar esse clube da humanidade. E fiquei pensando: "Por que insistimos tanto e durante tanto tempo em participar desse clube, que na maioria das vezes só limita a nossa capacidade de invenção, criação, existência e liberdade?". Será que não estamos sempre atualizando aquela nossa velha disposição para a servidão voluntária? Quando a gente vai entender que os Estados nacionais já se desmancharam, que a velha ideia dessas agências já estava falida na origem? Em vez disso, seguimos arrumando um jeito de projetar outras iguais a elas, que também poderiam manter a nossa coesão como humanidade.

Como justificar que somos uma humanidade se mais de 70% estão totalmente alienados do mínimo exercício de ser? A modernização jogou essa gente do campo e da floresta para viver em favelas e em periferias, para virar mão de obra em centros urbanos. Essas pessoas foram arrancadas de seus coletivos, de seus lugares de origem, e jogadas nesse liquidificador chamado humanidade. Se as pessoas não tiverem vínculos profundos com sua memória ancestral, com as referências que dão sustentação a uma identidade, vão ficar loucas neste mundo maluco que compartilhamos.

"Ideias para adiar o fim do mundo" —

esse título é uma provocação. Eu estava no quintal de casa quando me trouxeram o telefone, dizendo: "Estão te chamando lá da Universidade de Brasília, para você participar de um encontro sobre desenvolvimento sustentável". (A UnB tem um centro de desenvolvimento sustentável, com programa de mestrado.) Eu fiquei muito feliz com o convite e o aceitei, então me disseram: "Você precisa dar um título para a sua palestra". Eu estava tão envolvido com as minhas atividades no quintal que respondi: "Ideias para adiar o fim do mundo". A pessoa levou a sério e colocou isso no programa. Depois de uns três meses, me ligaram: "É amanhã, você está com a sua passagem de avião para Brasília?". "Amanhã?" "É, amanhã você vai fazer aquela palestra sobre as ideias para adiar o fim do mundo."

No dia seguinte estava chovendo, e eu pensei: "Que ótimo, não vai aparecer ninguém". Mas, para minha surpresa, o auditório estava lotado. Perguntei: "Mas todo esse pessoal está no mestrado?". Meus amigos disseram: "Que nada, alunos do campus todo estão aqui querendo saber essa história de adiar o fim do mundo". Eu respondi: "Eu também".

Estar com aquela turma me fez refletir sobre o mito da sustentabilidade, inventado pelas corporações para justificar o assalto que fazem à nossa ideia de natureza. Fomos, durante muito tempo, embalados com a história de que somos a humanidade. Enquanto isso — enquanto seu lobo não vem —, fomos nos alienando desse organismo de que somos parte, a Terra, e passamos a pensar que ele é uma coisa e nós, outra: a Terra e a humanidade. Eu não percebo onde tem alguma coisa que não seja natureza. Tudo é natureza. O cosmos é natureza. Tudo em que eu consigo pensar é natureza.

Li uma história de um pesquisador europeu do começo do século XX que estava nos Estados Unidos e chegou a um território dos Hopi. Ele tinha pedido que alguém daquela aldeia facilitasse o encontro dele com uma anciã que ele queria entrevistar. Quando foi encontrá-la, ela estava parada perto de uma rocha. O pesquisador ficou esperando, até que falou: "Ela não vai conversar comigo, não?". Ao que seu facilitador respondeu: "Ela está conversando com a irmã dela". "Mas é uma pedra." E o camarada disse: "Qual é o problema?".

Tem uma montanha rochosa na região onde o rio Doce foi atingido pela lama da mineração. A aldeia Krenak fica na margem esquerda do rio, na direita tem uma serra. Aprendi que aquela serra tem nome, Takukrak, e personalidade. De manhã cedo, de lá do terreiro da aldeia, as pessoas olham para ela e sabem se o dia vai ser bom ou se é melhor ficar quieto. Quando ela está com uma cara do tipo "não estou para conversa hoje", as pessoas já ficam atentas. Quando ela amanhece esplêndida, bonita, com nuvens claras sobrevoando a sua cabeça, toda enfeitada, o pessoal fala: "Pode fazer festa, dançar, pescar, pode fazer o que quiser".

Assim como aquela senhora hopi que conversava com a pedra, sua irmã, tem um monte de gente que fala com montanhas. No Equador, na Colômbia, em algumas dessas regiões dos Andes, você encontra lugares onde as montanhas formam casais. Tem mãe, pai, filho, tem uma família de montanhas que troca afeto, faz trocas. E as pessoas que vivem nesses vales fazem festas para essas montanhas, dão comida, dão presentes, ganham presentes das montanhas. Por que essas narrativas não nos entusiasmam? Por que elas vão sendo esquecidas e apagadas em favor de uma narrativa globalizante, superficial, que quer contar a mesma história para a gente?

Os Massai, no Quênia, tiveram um conflito com a administração colonial porque os ingleses queriam que a montanha deles virasse um parque. Eles se revoltaram contra a ideia banal, comum em muitos lugares do mundo, de transformar um sítio sagrado num parque. Eu acho que começa como parque e termina como *parking*. Porque tem que estacionar esse tanto de carro que fazem por aí afora.

É um abuso do que chamam de razão.

Enquanto a humanidade está se distanciando do seu lugar, um monte de corporações espertalhonas vai tomando conta da Terra. Nós, a humanidade, vamos viver em ambientes artificiais produzidos pelas mesmas corporações que devoram florestas, montanhas e rios. Eles inventam kits superinteressantes para nos manter nesse local, alienados de tudo, e se possível tomando muito remédio. Porque, afinal, é preciso fazer alguma coisa com o que sobra do lixo que produzem, e eles vão fazer remédio e um monte de parafernálias para nos entreter.

Para que não fiquem pensando que estou inventando mais um mito, o do monstro corporativo, ele tem nome, endereço e até conta bancária. E que conta! São os donos da grana do planeta, e ganham mais a cada minuto, espalhando shoppings pelo mundo. Espalham quase que o mesmo modelo de progresso que somos incentivados a entender como bem-estar no mundo todo. Os grandes centros, as grandes metrópoles do mundo são uma reprodução uns dos outros. Se você for para Tóquio, Berlim, Nova York, Lisboa ou São Paulo, verá o mesmo entusiasmo em fazer torres incríveis, elevadores espiroquetas, veículos espaciais... Parece que você está numa viagem com o Flash Gordon.

Enquanto isso, a humanidade vai sendo descolada de uma maneira tão absoluta desse organismo que é a terra. Os únicos núcleos que ainda consideram que precisam ficar agarrados nessa terra são aqueles que ficaram meio esquecidos pelas bordas do planeta, nas margens dos rios, nas beiras dos oceanos, na África, na Ásia ou na América Latina. São caiçaras, índios, quilombolas, aborígenes — a sub-humanidade. Porque tem uma humanidade, vamos dizer, bacana. E tem uma camada mais bruta, rústica, orgânica, uma sub-humanidade, uma gente que fica agarrada na terra. Parece que eles querem comer terra, mamar na terra, dormir deitados sobre a terra, envoltos na terra. A organicidade dessa gente é uma coisa que incomoda, tanto que as corporações têm criado cada vez mais mecanismos para separar esses filhotes da terra de sua mãe. "Vamos separar esse negócio aí, gente e terra, essa bagunça. É melhor colocar um trator, um extrator na terra. Gente não, gente é uma confusão. E, principalmente, gente não está treinada para dominar esse recurso natural que é a terra." Recurso natural para quem? Desenvolvimento sustentável para quê? O que é preciso sustentar?

A ideia de nós, os humanos, nos descolarmos da terra, vivendo numa abstração civilizatória, é absurda. Ela suprime a diversidade, nega a pluralidade das formas de vida, de existência e de hábitos. Oferece o mesmo cardápio, o mesmo figurino e, se possível, a mesma língua para todo mundo.

Para a Unesco, 2019 é o ano internacional das línguas indígenas. Todos nós sabemos que a cada ano ou a cada semestre uma dessas línguas maternas, um desses idiomas originais de pequenos grupos que estão na periferia da humanidade, é deletada. Sobram algumas, de preferência aquelas que interessam às corporações para administrar a coisa toda, o desenvolvimento sustentável.

O que é feito de nossos rios, nossas florestas, nossas paisagens? Nós ficamos tão perturbados com o desarranjo regional que vivemos, ficamos tão fora do sério com a falta de perspectiva política, que não conseguimos nos erguer e respirar, ver o que importa mesmo para as pessoas, os coletivos e as comunidades nas suas ecologias. Para citar o Boaventura de Sousa Santos, a ecologia dos saberes deveria também integrar nossa experiência cotidiana, inspirar nossas escolhas sobre o lugar em que queremos viver, nossa experiência como comunidade. Precisamos ser críticos a essa ideia plasmada de humanidade homogênea na qual há muito tempo o consumo tomou o lugar daquilo que antes era cidadania. José Mujica disse que transformamos as pessoas em consumidores, e não em cidadãos. E nossas crianças, desde a mais tenra idade, são ensinadas a serem clientes. Não tem gente mais adulada do que um consumidor. São adulados até o ponto de ficarem imbecis, babando. Então para que ser cidadão? Para que ter cidadania, alteridade, estar no mundo de uma maneira crítica e consciente, se você pode ser um consumidor? Essa ideia dispensa a experiência de viver numa terra cheia de sentido, numa plataforma para diferentes cosmovisões.

Davi Kopenawa ficou vinte anos conversando com o antropólogo francês Bruce Albert para produzir uma obra fantástica, chamada *A queda do céu: Palavras de um xamã yanomami*. O livro tem a potência de mostrar para a gente, que está nessa espécie de fim dos mundos, como é possível que um conjunto de culturas e de povos ainda seja capaz de habitar uma cosmovisão, habitar um lugar neste planeta que compartilhamos de uma maneira tão especial, em que tudo ganha um sentido. As pessoas podem viver com o espírito da floresta, viver com a floresta, estar na floresta. Não estou falando do filme *Avatar*, mas da vida de vinte e tantas mil pessoas — e conheço algumas delas — que habitam o território yanomami, na fronteira do Brasil com a Venezuela. Esse território está sendo assolado pelo garimpo, ameaçado pela mineração, pelas mesmas corporações perversas que já mencionei e que não toleram esse tipo de cosmos, o tipo de capacidade imaginativa e de existência que um povo originário como os Yanomami é capaz de produzir.

Nosso tempo é especialista em criar ausências: do sentido de viver em sociedade, do próprio sentido da experiência da vida. Isso gera uma intolerância muito grande com relação a quem ainda é capaz de experimentar o prazer de estar vivo, de dançar, de cantar. E está cheio de pequenas constelações de gente espalhada pelo mundo que dança, canta, faz chover. O tipo de humanidade zumbi que estamos sendo convocados a integrar não tolera tanto prazer, tanta dos a integrar não tolera tanto prazer, tanta fruição de vida. Então, pregam o fim do mundo como uma possibilidade de fazer a gente desistir dos nossos próprios sonhos. E a minha provocação sobre adiar o fim do mundo é exatamente sempre poder contar mais uma história. Se pudermos fazer isso, estaremos adiando o fim.

É importante viver a experiência da nossa própria circulação pelo mundo, não como uma metáfora, mas como fricção, poder contar uns com os outros. Poder ter um encontro como este, aqui em Portugal, e ter uma audiência tão essencial como vocês é um presente para mim. Vocês podem ter certeza de que isso me dá o maior gás para esticar um pouco mais o início do fim do mundo que se me apresenta. E os provoco a pensar na possibilidade de fazer o mesmo exercício. É uma espécie de tai chi chuan.

Quando você sentir que o céu está ficando muito baixo, é só empurrá-lo e respirar.

Como os povos originários do Brasil lidaram com a colonização, que queria acabar com o seu mundo? Quais estratégias esses povos utilizaram para cruzar esse pesadelo e chegar ao século XXI ainda esperneando, reivindicando e desafinando o coro dos contentes? Vi as diferentes manobras que os nossos antepassados fizeram e me alimentei delas, da criatividade e da poesia que inspirou a resistência desses povos. A civilização chamava aquela gente de bárbaros e imprimiu uma guerra sem fim contra eles, com o objetivo de transformá-los em civilizados que poderiam integrar o clube da humanidade. Muitas dessas pessoas não são indivíduos, mas "pessoas coletivas", células que conseguem transmitir através do tempo suas visões sobre o mundo.

Às vezes, os antropólogos limitam a compreensão dessa experiência, que não é só cultural. Eu sei que tem alguns antropólogos aqui na sala, não fiquem nervosos. Quantos perceberam que essas estratégias só tinham como propósito adiar o fim do mundo? Eu não inventei isso, mas me alimento da resistência continuada desses povos, que guardam a memória profunda da terra, aquilo que Eduardo Galeano chamou de *Memória do fogo*. Nesse livro e em *As veias abertas da América Latina*, ele mostra como os povos do Caribe, da América Central, da Guatemala, dos Andes e do resto da América do Sul tinham convicção do equívoco que era a civilização. Eles não se renderam porque o programa proposto era um erro: "A gente não quer essa roubada". E os caras: "Não, toma essa roubada. Toma a Bíblia, toma a cruz, toma o colégio, toma a universidade, toma a estrada, toma a ferrovia, toma a mineradora, toma a porrada". Ao que os povos responderam: "O que é isso? Que programa esquisito! Não tem outro, não?".

Por que nos causa desconforto a sensação de estar caindo? A gente não fez outra coisa nos últimos tempos senão despencar. Cair, cair, cair. Então por que estamos grilados agora com a queda? Vamos aproveitar toda a nossa capacidade crítica e criativa para construir paraquedas coloridos. Vamos pensar no espaço não como um lugar confinado, mas como o cosmos onde a gente pode despencar em paraquedas coloridos.

Há centenas de narrativas de povos que estão vivos, contam histórias, cantam, viajam, conversam e nos ensinam mais do que aprendemos nessa humanidade. Nós não somos as únicas pessoas interessantes no mundo, somos parte do todo. Isso talvez tire um pouco da vaidade dessa humanidade que nós pensamos ser, além de diminuir a falta de reverência que temos o tempo todo com as outras companhias que fazem essa viagem cósmica com a gente.

Em 2018, quando estávamos na iminência de ser assaltados por uma situação nova no Brasil, me perguntaram: "Como os índios vão fazer diante disso tudo?". Eu falei: "Tem quinhentos anos que os índios estão resistindo, eu estou preocupado é com os brancos, como que vão fazer para escapar dessa". A gente resistiu expandindo a nossa subjetividade, não aceitando essa ideia de que nós somos todos iguais. Ainda existem aproximadamente 250 etnias que querem ser diferentes umas das outras no Brasil, que falam mais de 150 línguas e dialetos.

Nosso amigo Eduardo Viveiros de Castro gosta de provocar as pessoas com o perspectivismo amazônico, chamando a atenção exatamente para isto: os humanos não são os únicos seres interessantes e que têm uma perspectiva sobre a existência. Muitos outros também têm.

Cantar, dançar e viver a experiência mágica de suspender o céu é comum em muitas tradições. Suspender o céu é ampliar o nosso horizonte; não o horizonte prospectivo, mas um existencial. É enriquecer as nossas subjetividades, que é a matéria que este tempo que nós vivemos quer consumir. Se existe uma ânsia por consumir a natureza, existe também uma por consumir subjetividades — as nossas subjetividades. Então vamos vivê-las com a liberdade que formos capazes de inventar, não botar ela no mercado. Já que a natureza está sendo assaltada de uma maneira tão indefensável, vamos, pelo menos, ser capazes de manter nossas subjetividades, nossas visões, nossas poéticas sobre a existência. Definitivamente não somos iguais, e é maravilhoso saber que cada um de nós que está aqui é diferente do outro, como constelações. O fato de podermos compartilhar esse espaço, de estarmos juntos viajando não significa que somos iguais; significa exatamente que somos capazes de atrair uns aos outros pelas nossas diferenças, que deveriam guiar o nosso roteiro de vida. Ter diversidade, não isso de uma humanidade com o mesmo protocolo. Porque isso até agora foi só uma maneira de homogeneizar e tirar nossa alegria de estar vivos.

DO SONHO E
— DA TERRA —

Desde o Nordeste até o leste de Minas Gerais, onde fica o rio Doce e a reserva indígena das famílias Krenak, e também na Amazônia, na fronteira do Brasil com o Peru e a Bolívia, no Alto Rio Negro, em todos esses lugares as nossas famílias estão passando por um momento de tensão nas relações políticas entre o Estado brasileiro e as sociedades indígenas.

Essa tensão não é de agora, mas se agravou com as recentes mudanças políticas introduzidas na vida do povo brasileiro, que estão atingindo de forma intensa centenas de comunidades indígenas que nas últimas décadas vêm insistindo para que o governo cumpra seu dever constitucional de assegurar os direitos desses grupos nos seus locais de origem, identificados no arranjo jurídico do país como terras indígenas.

Não sei se todos conhecem as terminologias referentes à relação dos povos indígenas com os lugares onde vivem ou as atribuições que o Estado brasileiro tem dado a esses territórios ao longo da nossa história. Desde os tempos coloniais, a questão do que fazer com a parte da população que sobreviveu aos trágicos primeiros encontros entre os dominadores europeus e os povos que viviam onde hoje chamamos, de maneira muito reduzida, de terras indígenas, levou a uma relação muito equivocada entre o Estado e essas comunidades.

É claro que durante esses anos nós deixamos de ser colônia para constituir o Estado brasileiro e entramos no século XXI, quando a maior parte das previsões apostava que as populações indígenas não sobreviveriam à ocupação do território, pelo menos não mantendo formas próprias de organização, capazes de gerir suas vidas. Isso porque a máquina estatal atua para desfazer as formas de organização das nossas sociedades, buscando uma integração entre essas populações e o conjunto da sociedade brasileira.

O dilema político que ficou para as nossas comunidades que sobreviveram ao século XX é ainda hoje precisar disputar os últimos redutos onde a natureza é próspera, onde podemos suprir as nossas necessidades alimentares e de moradia, e onde sobrevivem os modos que cada uma dessas pequenas sociedades tem de se manter no tempo, dando conta de si mesmas sem criar uma dependência excessiva do Estado.

O rio Doce, que nós, os Krenak, chamamos de Watu, nosso avô, é uma pessoa, não um recurso, como dizem os economistas. Ele não é algo de que alguém possa se apropriar; é uma parte da nossa construção como coletivo que habita um lugar específico, onde fomos gradualmente confinados pelo governo para podermos viver e reproduzir as nossas formas de organização (com toda essa pressão externa).

Falar sobre a relação entre o Estado brasileiro e as sociedades indígenas a partir do exemplo do povo Krenak surgiu como uma inspiração, para contar a quem não sabe o que acontece hoje no Brasil com essas comunidades — estimadas em cerca de 250 povos e aproximadamente 900 mil pessoas, população menor do que a de grandes cidades brasileiras.

O que está na base da história do nosso país, que continua a ser incapaz de acolher os seus habitantes originais — sempre recorrendo a práticas desumanas para promover mudanças em formas de vida que essas populações conseguiram manter por muito tempo, mesmo sob o ataque feroz das forças coloniais, que até hoje sobrevivem na mentalidade cotidiana de muitos brasileiros —, é a ideia de que os índios deveriam estar contribuindo para o sucesso de um projeto de exaustão da natureza. O Watu, esse rio que sustentou a nossa vida às margens do rio Doce, entre Minas Gerais e o Espírito Santo, numa extensão de seiscentos quilômetros, está todo coberto por um material tóxico que desceu de uma barragem de contenção de resíduos, o que nos deixou órfãos e acompanhando o rio em coma. Faz um ano e meio que esse crime — que não pode ser chamado de acidente — atingiu as nossas vidas de maneira radical, nos colocando na real condição de um mundo que acabou.*

Neste encontro, estamos tentando abordar o impacto que nós, humanos, causamos neste organismo vivo que é a Terra,

---

* Alusão ao rompimento da barragem do Fundão, da mineradora Samarco, controlada pelas multinacionais Vale e BHP Billiton, em novembro de 2015. Foram lançados no meio ambiente cerca de 45 milhões de metros cúbicos de rejeitos da mineração de ferro, o que desencadeou efeitos a longo prazo na vida de milhares de pessoas, incluindo as aldeias Krenak. (N. E.)

que em algumas culturas continua sendo reconhecida como nossa mãe e provedora em amplos sentidos, não só na dimensão da subsistência e na manutenção das nossas vidas, mas também na dimensão transcendente que dá sentido à nossa existência. Em diferentes lugares do mundo, nos afastamos de uma maneira tão radical dos lugares de origem que o trânsito dos povos já nem é percebido. Atravessamos continentes como se estivéssemos indo ali ao lado. Se é certo que o desenvolvimento de tecnologias eficazes nos permite viajar de um lugar para outro, que as comodidades tornaram fácil a nossa movimentação pelo planeta, também é certo que essas facilidades são acompanhadas por uma perda de sentido dos nossos deslocamentos.

Sentimo-nos como se estivéssemos soltos num cosmos vazio de sentido e desresponsabilizados de uma ética que possa ser compartilhada, mas sentimos o peso dessa escolha sobre as nossas vidas. Somos alertados o tempo todo para as consequências dessas escolhas recentes que fizemos. E se pudermos dar atenção a alguma visão que escape a essa cegueira que estamos vivendo no mundo todo, talvez ela possa abrir a nossa mente para alguma cooperação entre os povos, não para salvar os outros, mas para salvar a nós mesmos. Há trinta anos, a ampla rede de relações em que me integrei para levar ao conhecimento de outros povos, de outros governos, as realidades que nós vivíamos no Brasil teve como objetivo ativar as redes de solidariedade com os povos nativos.

O que aprendi ao longo dessas décadas é que todos precisam despertar, porque, se durante um tempo éramos nós, os povos indígenas, que estávamos ameaçados de ruptura ou da extinção dos sentidos das nossas vidas, hoje estamos todos diante da iminência de a Terra não suportar a nossa demanda. Como disse o pajé yanomami Davi Kopenawa, o mundo acredita que tudo é mercadoria, a ponto de projetar nela tudo o que somos capazes de experimentar. A experiência das pessoas em diferentes lugares do mundo se projeta na mercadoria, significando que ela é tudo o que está fora de nós. Essa tragédia que agora atinge a todos é adiada em alguns lugares, em algumas situações regionais nas quais a política — o poder político, a escolha política — compõe espaços de segurança temporária em que as comunidades, mesmo quando já esvaziadas do verdadeiro sentido do compartilhamento de espaços, ainda são, digamos, protegidas por um aparato que depende cada vez mais da exaustão das florestas, dos rios, das montanhas, nos colocando num dilema em que parece que a única possibilidade para que comunidades humanas continuem a existir é à custa da exaustão de todas as outras partes da vida.

A conclusão ou compreensão de que estamos vivendo uma era que pode ser identificada como Antropoceno deveria soar como um alarme nas nossas cabeças. Porque, se nós imprimimos no planeta Terra uma marca tão pesada que até caracteriza uma era, que pode permanecer mesmo depois de já não estarmos aqui, pois estamos exaurindo as fontes da vida que nos possibilitaram prosperar e sentir que estávamos em casa, sentir até, em alguns períodos, que tínhamos uma casa comum que podia ser cuidada por todos, é por estarmos mais uma vez diante do dilema a que já aludi: excluímos da vida, localmente, as formas de organização que não estão integradas ao mundo da mercadoria, pondo em risco todas as outras formas de viver — pelo menos as que fomos animados a pensar como possíveis, em que havia corresponsabilidade com os lugares onde vivemos e o respeito pelo direito à vida dos seres, e não só dessa abstração que nos permitimos constituir como *uma* humanidade, que exclui todas as outras e todos os outros seres. Essa humanidade que não reconhece que aquele rio que está em coma é também o nosso avô, que a montanha explorada em algum lugar da África ou da América do Sul e transformada em mercadoria em algum outro lugar é também o avô, a avó, a mãe, o irmão de alguma constelação de seres que querem continuar compartilhando a vida nesta casa comum que chamamos Terra.

O nome *krenak* é constituído por dois termos: um é a primeira partícula, *kre*, que significa cabeça, a outra, *nak*, significa terra. Krenak é a herança que recebemos dos nossos antepassados, das nossas memórias de origem, que nos identifica como "cabeça da terra", como uma humanidade que não consegue se conceber sem essa conexão, sem essa profunda comunhão com a terra. Não a terra como um sítio, mas como esse lugar que todos compartilhamos, e do qual nós, os Krenak, nos sentimos cada vez mais desraigados — desse lugar que para nós sempre foi sagrado, mas que percebemos que nossos vizinhos têm quase vergonha de admitir que pode ser visto assim. Quando nós falamos que o nosso rio é sagrado, as pessoas dizem: "Isso é algum folclore deles"; quando dizemos que a montanha está mostrando que vai chover e que esse dia vai ser um dia próspero, um dia bom, eles dizem: "Não, uma montanha não fala nada".

Quando despersonalizamos o rio, a montanha, quando tiramos deles os seus sentidos, considerando que isso é atributo exclusivo dos humanos, nós liberamos esses lugares para que se tornem resíduos da atividade industrial e extrativista. Do nosso divórcio das integrações e interações com a nossa mãe, a Terra, resulta que ela está nos deixando órfãos, não só aos que em diferente graduação são chamados de índios, indígenas ou povos indígenas, mas a todos. Tomara que estes encontros criativos que ainda estamos tendo a oportunidade de manter animem a nossa prática, a nossa ação, e nos deem coragem para sair de uma atitude de negação da vida para um compromisso com a vida, em qualquer lugar, superando as nossas incapacidades de estender a visão a lugares para além daqueles a que estamos apegados e onde vivemos, assim como às formas de sociabilidade e de organização de que uma grande parte dessa comunidade humana está excluída, que em última instância gastam toda a força da Terra para suprir a sua demanda de mercadorias, segurança e consumo.

Como reconhecer um lugar de contato entre esses mundos, que têm tanta origem comum, mas que se descolaram a ponto de termos hoje, num extremo, gente que precisa viver de um rio e, no outro, gente que consome rios como um recurso? A respeito dessa ideia de recurso que se atribui a uma montanha, a um rio, a uma floresta, em que lugar podemos descobrir um contato entre as nossas visões que nos tire desse estado de não reconhecimento uns dos outros?

Quando eu sugeri que falaria do sonho e da terra, eu queria comunicar a vocês um lugar, uma prática que é percebida em diferentes culturas, em diferentes povos, de reconhecer essa instituição do sonho não como experiência cotidiana de dormir e sonhar, mas como exercício disciplinado de buscar no sonho as orientações para as nossas escolhas do dia a dia.

Para algumas pessoas, a ideia de sonhar é abdicar da realidade, é renunciar ao sentido prático da vida. Porém, também podemos encontrar quem não veria sentido na vida se não fosse informado por sonhos, nos quais pode buscar os cantos, a cura, a inspiração e mesmo a resolução de questões práticas que não consegue discernir, cujas escolhas não consegue fazer fora do sonho, mas que ali estão abertas como possibilidades. Fiquei muito apaziguado comigo mesmo hoje à tarde, quando mais de uma colega das que falaram aqui trouxeram a referência a essa instituição do sonho não como uma experiência onírica, mas como uma disciplina relacionada à formação, à cosmovisão, à tradição de diferentes povos que têm no sonho um ca-

minho de aprendizado, de autoconheci-
mento sobre a vida, e a aplicação desse
conhecimento na sua interação com o
mundo e com as outras pessoas.

A HUMANIDADE QUE PENSAMOS SER

Talvez estejamos muito condicionados a uma ideia de ser humano e a um tipo de existência. Se a gente desestabilizar esse padrão, talvez a nossa mente sofra uma espécie de ruptura, como se caíssemos num abismo. Quem disse que a gente não pode cair? Quem disse que a gente já não caiu? Houve um tempo em que o planeta que chamamos Terra juntava os continentes todos numa grande Pangeia. Se olhássemos lá de cima do céu, tiraríamos uma fotografia completamente diferente do globo. Quem sabe se, quando o astronauta Iúri Gagárin disse "a Terra é azul", ele não fez um retrato ideal daquele momento para essa humanidade que nós pensamos ser. Ele olhou com o nosso olho, viu o que a gente queria ver. Existe muita coisa que se aproxima mais daquilo que pretendemos ver do que se podia constatar se juntássemos as duas imagens: a que você pensa e a que você tem. Se já houve outras configurações da Terra, inclusive sem a gente aqui, por que é que nos apegamos tanto a esse retrato com a gente aqui? O Antropoceno tem um sentido incisivo sobre a nossa existência, a nossa experiência comum, a ideia do que é humano. O nosso apego a uma ideia fixa de paisagem da Terra e de humanidade é a marca mais profunda do Antropoceno.

Essa configuração mental é mais do que uma ideologia, é uma construção do imaginário coletivo — várias gerações se sucedendo, camadas de desejos, projeções, visões, períodos inteiros de ciclos de vida dos nossos ancestrais que herdamos e fomos burilando, retocando, até chegar à imagem com a qual nos sentimos identificados. É como se tivéssemos feito um *photoshop* na memória coletiva planetária, entre a tripulação e a nave, onde a nave se cola ao organismo da tripulação e fica parecendo uma coisa indissociável. É como parar numa memória confortável, agradável, de nós próprios, por exemplo, mamando no colo da nossa mãe: uma mãe farta, próspera, amorosa, carinhosa, nos alimentando *forever*. Um dia ela se move e tira o peito da nossa boca. Aí, a gente dá uma babada, olha em volta, reclama porque não está vendo o seio da mãe, não está vendo aquele organismo materno alimentando toda a nossa gana de vida, e a gente começa a estremecer, a achar que aquilo não é mesmo o melhor dos mundos, que o mundo está acabando e a gente vai cair em algum lugar. Mas a gente não vai cair em lugar nenhum, de repente o que a mãe fez foi dar uma viradinha para pegar um sol, mas como estávamos tão acostumados, a gente só quer mamar.

O fim do mundo talvez seja uma breve interrupção de um estado de prazer extasiante que a gente não quer perder. Parece que todos os artifícios que foram buscados pelos nossos ancestrais e por nós têm a ver com essa sensação. Quando se transfere isso para a mercadoria, para os objetos, para as coisas exteriores, se materializa no que a técnica desenvolveu, no aparato todo que se foi sobrepondo ao corpo da mãe Terra. Todas as histórias antigas chamam a Terra de Mãe, Pacha Mama, Gaia. Uma deusa perfeita e infindável, fluxo de graça, beleza e fartura. Veja-se a imagem grega da deusa da prosperidade, que tem uma cornucópia que fica o tempo todo jorrando riqueza sobre o mundo... Noutras tradições, na China e na Índia, nas Américas, em todas as culturas mais antigas, a referência é de uma provedora maternal. Não tem nada a ver com a imagem masculina ou do pai. Todas as vezes que a imagem do pai rompe nessa paisagem é sempre para depredar, detonar e dominar.

O desconforto que a ciência moderna, as tecnologias, as movimentações que resultaram naquilo que chamamos de "revoluções de massa", tudo isso não ficou localizado numa região, mas cindiu o planeta a ponto de, no século XX, termos situações como a

Guerra Fria, em que você tinha, de um lado do muro, uma parte da humanidade, e a outra, do lado de lá, na maior tensão, pronta para puxar o gatilho para cima dos outros. Não tem fim do mundo mais iminente do que quando você tem um mundo do lado de lá do muro e um do lado de cá, ambos tentando adivinhar o que o outro está fazendo. Isso é um abismo, isso é uma queda. Então a pergunta a fazer seria: "Por que tanto medo assim de uma queda se a gente não fez nada nas outras eras senão cair?".

Já caímos em diferentes escalas e em diferentes lugares do mundo. Mas temos muito medo do que vai acontecer quando a gente cair. Sentimos insegurança, uma paranoia da queda porque as outras possibilidades que se abrem exigem implodir essa casa que herdamos, que confortavelmente carregamos em grande estilo, mas passamos o tempo inteiro morrendo de medo. Então, talvez o que a gente tenha de fazer é descobrir um paraquedas. Não eliminar a queda, mas inventar e fabricar milhares de paraquedas coloridos, divertidos, inclusive prazerosos. Já que aquilo de que realmente gostamos é gozar, viver no prazer aqui na Terra. Então, que a gente pare de despistar essa nossa vocação e, em vez de ficar inventando outras parábolas, que a gente se renda a essa principal e não se deixe iludir com o aparato da técnica. Na verdade, a ciência inteira vive subjugada por essa coisa que é a técnica.

Há muito tempo não existe alguém que pense com a liberdade do que aprendemos a chamar de cientista. Acabaram os cientistas. Toda pessoa que seja capaz de trazer uma inovação nos processos que conhecemos é capturada pela máquina de fazer coisas, da mercadoria. Antes de essa pessoa contribuir, em qualquer sentido, para abrir uma janela de respiro a essa nossa ansiedade de perder o seio da mãe, vem logo um aparato artificial para dar mais um tempo de canseira na gente. É como se todas as descobertas estivessem condicionadas e nós desconfiássemos das descobertas, como se todas fossem trapaça. A gente sabe que as descobertas no âmbito da ciência, as curas para tudo, são uma baba. Os laboratórios planejam com antecedência a publicação das descobertas em função dos mercados que eles próprios configuram para esses aparatos, com o único propósito de fazer a roda continuar a girar. Não uma roda que abre outros horizontes e acena para outros mundos no sentido prazeroso, mas para outros mundos que só reproduzem a nossa experiência de perda de liberdade, de perda daquilo a que podemos chamar inocência, no sentido de ser simplesmente bom, sem nenhum objetivo. Gozar sem nenhum objetivo. Mamar sem medo, sem culpa, sem nenhum objetivo. Nós vivemos num mundo em que você tem de explicar por que é que está mamando. Ele se transformou numa fábrica de consumir inocência e deve ser potencializado cada vez mais para não deixar nenhum lugar habitado por ela.

De que lugar se projetam os paraquedas? Do lugar onde são possíveis as visões e o sonho. Um outro lugar que a gente pode habitar além dessa terra dura: o lugar do sonho. Não o sonho comumente referenciado de quando se está cochilando ou que a gente banaliza "estou sonhando com o meu próximo emprego, com o próximo carro", mas que é uma experiência transcendente na qual o casulo do humano implode, se abrindo para outras visões da vida não limitada. Talvez seja outra palavra para o que costumamos chamar de natureza. Não é nomeada porque só conseguimos nomear o que experimentamos. O sonho como experiência de pessoas iniciadas numa tradição para sonhar. Assim como quem vai para uma escola aprender uma prática, um conteúdo, uma meditação, uma dança, pode ser iniciado nessa instituição para seguir, avançar num lugar do sonho. Alguns xamãs ou mágicos habitam esses lugares ou têm passagem por eles. São lugares com conexão com o mundo que partilhamos; não é um mundo paralelo, mas que tem uma potência diferente.

Quando, por vezes, me falam em imaginar outro mundo possível, é no sentido de reordenamento das relações e dos espaços, de novos entendimentos sobre como podemos nos relacionar com aquilo que se admite ser a natureza, como se a gente não fosse natureza. Na verdade, estão invocando novas formas de os velhos manjados humanos coexistirem com aquela metáfora da natureza que eles mesmos criaram para consumo próprio. Todos os outros humanos que não somos nós estão fora, a gente pode comê-los, socá-los, fraturá-los, despachá-los para outro lugar do espaço. O estado de mundo que vivemos hoje é exatamente o mesmo que os nossos antepassados recentes encomendaram para nós.

Na verdade, a gente vive reclamando,

mas essa coisa foi encomendada, chegou embrulhada e com o aviso: "Depois de abrir, não tem troca". Há duzentos, trezentos anos ansiaram por esse mundo. Um monte de gente decepcionada, pensando: "Mas é esse mundo que deixaram para a gente?". Qual é o mundo que vocês estão agora empacotando para deixar às gerações futuras? O.k., você vive falando de outro mundo, mas já perguntou para as gerações futuras se o mundo que você está deixando é o que elas querem? A maioria de nós não vai estar aqui quando a encomenda chegar. Quem vai receber são os nossos netos, bisnetos, no máximo nossos filhos já idosos. Se cada um de nós pensa um mundo, serão trilhões de mundos, e as entregas vão ser feitas em vários locais. Que mundo e que serviço de delivery você está pedindo? Há algo de insano quando nos reunimos para repudiar esse mundo que recebemos agorinha, no pacote encomendado pelos nossos antecessores; há algo de pirraça nossa sugerindo que, se fosse a gente, teríamos feito muito melhor.

Devíamos admitir a natureza como uma imensa multidão de formas, incluindo cada pedaço de nós, que somos parte de tudo: 70% de água e um monte de outros materiais que nos compõem. E nós criamos essa abstração de unidade, o homem como medida das coisas, e saímos por aí atropelando tudo, num convencimento geral até que todos aceitem que existe uma humanidade com a qual se identificam, agindo no mundo à nossa disposição, pegando o que a gente quiser. Esse contato com outra possibilidade implica escutar, sentir, cheirar, inspirar, expirar aquelas camadas do que ficou fora da gente como "natureza", mas que por alguma razão ainda se confunde com ela. Tem alguma coisa dessas camadas que é quase-humana: uma camada identificada por nós que está sumindo, que está sendo exterminada da interface de humanos muito-humanos. Os quase-humanos são milhares de pessoas que insistem em ficar fora dessa dança civilizada, da técnica, do controle do planeta. E por dançar uma coreografia estranha são tirados de cena, por epidemias, pobreza, fome, violência dirigida.

Já que se pretende olhar aqui o Antropoceno como o evento que pôs em contato mundos capturados para esse núcleo preexistente de civilizados — no ciclo das navegações, quando se deram as saídas daqui para a Ásia, a África e a América —, é importante lembrar que grande parte daqueles mundos desapareceu sem que fosse pensada uma ação de eliminar aqueles povos. O simples contágio do encontro entre humanos daqui e de lá fez com que essa parte da população desaparecesse por um fenômeno que depois se chamou epidemia, uma mortandade de milhares e milhares de seres. Um sujeito que saía da Europa e descia numa praia tropical largava um rasto de morte por onde passava. O indivíduo não sabia que era uma peste ambulante, uma guerra bacteriológica em movimento, um fim de mundo; tampouco o sabiam as vítimas que eram contaminadas. Para os povos que receberam aquela visita e morreram, o fim do mundo foi no século XVI. Não estou liberando a responsabilidade e a gravidade de toda a máquina que moveu as conquistas coloniais, estou chamando atenção para o fato de que muitos eventos que aconteceram foram o desastre daquele tempo. Assim como nós estamos hoje vivendo o desastre do nosso tempo, ao qual algumas seletas pessoas chamam Antropoceno. A grande maioria está chamando de caos social, desgoverno geral, perda de qualidade no cotidiano, nas relações, e estamos todos jogados nesse abismo.

POSFÁCIO
—
PERGUNTAS INQUIETANTES

Eduardo Viveiros de Castro

Ailton Krenak, juntamente com outros intelectuais e ativistas indígenas, como Davi Kopenawa e Daniel Munduruku, está escrevendo um capítulo essencial da história do Brasil, aquele que conta o que ele definiu como "a história da descoberta do Brasil pelos índios": uma contra-história e uma contra-antropologia indígenas, cujo objeto é a cultura dominante do Estado-nação que se abateu sobre os povos originários desta parte do mundo. O tema de Krenak neste livro e em outros textos — quase sempre transcrições de palestras e entrevistas, pois seu modo preferido de expressão é a fala —, entretanto, passa pelo Brasil, mas vai muito além dele: reflete sobre os pressupostos antropológicos daquela civilização que se toma por carro-chefe da "humanidade" e sobre os efeitos que ela está produzindo sobre as condições materiais e espirituais de existência de todos os povos, espécies e existentes da Terra.

A pergunta que Ailton Krenak dirige aos leitores neste livro é tão simples quanto inquietante: "Somos mesmo uma humanidade?". Ela é declinada com duas ênfases distintas: Somos mesmo *uma* humanidade (e não uma diversidade irredutível de modos humanos de viver em sociedade)? E somos mesmo uma *humanidade* (e não uma rede inextricável de interdependências do humano e do não humano)? Enquanto procuramos uma resposta, nós nos perguntamos: quem é este "nós" na pergunta de Krenak? Quem são *vocês*, que estão me lendo? — não seria essa a verdadeira pergunta do autor, ao dizer "nós"?

Com efeito, quem somos, enfim, nós? "Nós" relativamente a quem? Ao quê? A pergunta sobre "a humanidade que nós pensamos ser" é uma pergunta sobre a relação — sobre as relações que nos constituem, e que nos constituem como um *nós* essencialmente variável, em extensão como em compreensão: para alguns de nós, observa o autor, o "nós" inclui, entre outros, as pedras, as montanhas e os rios... Um dos pontos cruciais das ideias propostas por Ailton para resistir às ideias que nos fazem combater pelo fim do mundo como se se tratasse de nossa salvação (com a licença de La Boétie) é justamente a recusa, que ele atribui aos povos indígenas do mundo inteiro, em restringir a máxima kantiana sobre os meios e os fins àqueles que "a humanidade que pensamos ser" considera exclusivamente como *pessoas* — nós mesmos, as únicas "naturezas racionais" do mundo terrestre. O resto é recurso, isto é, *coisa*. A distinção kantiana é o grande gesto de exclusão que constitui menos o mundo das pessoas que o mundo das coisas, aquilo que é mero meio — aquilo que é, precisamente, mercadoria. Como lembra Krenak, o etnônimo com que o povo Yanomami de Davi Kopenawa se refere aos brancos é "povo da mercadoria": aquelas pessoas que se *definem* pelas coisas. O povo que transformou seus meios em fins.

Mas por que todas estas perguntas? A resposta, obviamente, está no título do livro: para adiar o "fim do mundo" que se desenha em nosso horizonte temporal próximo. Esse fim que é preciso adiar assinala a falência de uma certa ideia de humanidade, uma ideia — um projeto — que, ao ter posto a desvalorização metafísica do mundo como sua própria condição de possibilidade, transformou os portadores dessa ideia em agentes da destruição física deste mesmo mundo (e de incontáveis mundos de outras espécies). Tal ideia de humanidade, ao mesmo tempo que se apoia sobre uma distinção literalmente fundamental entre os humanos e os demais existentes terrestres, remete para uma sub-humanidade aqueles povos que sempre recusaram tal distinção, relegando-os para as margens da Cidade da Cultura, as marcas longínquas onde o humano se perde na *selva oscura* da Natureza.

Cabe então a essas outras formas de

vida, aquelas que são inseparadas da Terra-Gaia que é origem e condição de todos os mundos humanos possíveis, formas portanto fundadas em outras ideias de "humanidade", mostrar como é... *possível* adiar um fim que a forma de vida dominante se empenha em apressar, ao acreditar que pode forçar a Terra a coincidir com o mundo da *sua* "humanidade". Adiar o fim do mundo é necessário porque, como sabemos, um outro fim de mundo é possível... O fim, por exemplo, daquele *outro mundo* suscitado pela negação deste mundo — o mundo melhor que imaginamos estar construindo sobre as ruínas deste mundo.

Assim, aqueles povos que fomos ensinados a ver como sobrevivências de nosso passado humano — povos forçados a "subviver" no presente em meio às ruínas de seus mundos originários — se mostram inesperadamente como imagens de nosso próprio futuro. Eis que a noção de "sobrevivência" subitamente ganha todo um outro sentido *antropológico*, nas antípodas daquele proposto por Edward Tylor... Como disse Krenak, nós, os povos indígenas, estamos resistindo ao "humanismo" mortífero do Ocidente há cinco séculos; estamos preocupados agora é com vocês brancos, que não sabemos se conseguirão resistir! Ele falava aqui especificamente do Brasil, então sob a ameaça, depois concretizada, da chegada ao poder de um governo brutalmente ecocida e etnocida. Mas sua inquietação irônica se estende, bem entendido, à situação de todo o chamado "mundo civilizado", hoje sob a dupla e conectada ameaça de um revival fascista e de uma catástrofe ecológica global.

A relação entre essa ideia de humanidade e a aparição do "fim do mundo" — entendendo-se a expressão no sentido indicado pelo conceito geo-histórico de Antropoceno — no horizonte temporal próximo remete assim, em última análise, à disjunção ontológica entre imanência e transcendência inaugurada com a chamada Era Axial; uma disjunção que, uma vez estabelecida no seio dos povos "axiais", traduziu-se externamente em uma guerra de conquista ou extermínio dos povos da imanência: da catequese dos "pagãos" à caça às feiticeiras, dos colonialismos à globalização.* O império

* O conceito polêmico mas útil de "Era Axial" é de Karl Jaspers, depois retomado por Eisenstadt, Bellah, Gauchet, entre muitos outros autores. Ele se refere a uma suposta "mutação" intelectual ocorrida em diferentes sociedades eurasiáticas entre os séculos VIII e III a.C., que gerou o profetismo judaico, a filosofia grega, o budismo indiano etc. Ver a monografia recente de Alan Strathern, *Unearthly Powers: Religious and Political Change in World History* (Cambridge University Press, 2019). (N. A.)

da transcendência, ao mesmo tempo frágil e agressivo, nunca hesitou em recorrer ao etnocídio, ao genocídio e ao ecocídio para estabelecer sua soberania universal. Adiar o fim do mundo, para Ailton Krenak, significa diferir a batalha final entre aqueles que Bruno Latour chamou de "Humanos" — os arrogantes escravos do império da transcendência — e os "Terranos", a multidão de povos humanos e não humanos cuja mera existência é uma forma de resistência, povos que desempenham a função de barreira, de *katechon*, contra o avanço do deserto e o advento da "abominação da desolação", para usarmos um vocabulário emprestado das hostes da transcendência, mas que se presta, infelizmente, bastante bem para caracterizar a catástrofe que a civilização tecnocapitalista desencadeou. O *fim do mundo* — da vida, do planeta, do sistema solar etc. —, como sabemos, é inevitável; na frase célebre de Lévi-Strauss, "o mundo começou sem o homem e terminará sem ele". Resta saber se teremos imaginação e força suficientes para adiar o fim de nossos mundos, isto é, nosso próprio fim como espécie. Pois no que concerne a "nossa" civilização, essa que se ergueu sobre a disjunção entre imanência e transcendência, essa está, como tudo indica, com seus dias contados. Quem sabe estejamos todos no limiar de uma outra Era Axial?

AGRADECIMENTOS

Agradeço especialmente a Rita Carelli, fundamental para que este livro acontecesse, e a Izabel Stewart, pelo suporte a meu trabalho e pesquisa.

REFERÊNCIAS

Livros, artigo e entrevista

BAHIANA, Ana Maria. "Transformamos os pobres em consumidores e não em cidadãos, diz Mujica". BBC News Brasil, 21 dez. 2018. Disponível em: <https://www.bbc.com/portuguese/brasil-46624102>. Acesso em: 10 maio 2019.

CASTRO, Eduardo Viveiros de. *A inconstância da alma selvagem*. São Paulo: Ubu, 2017.

GALEANO, Eduardo. *As veias abertas da América Latina*. Trad. de Sergio Faraco. São Paulo: L&PM, 2010.

_____. *Memória do fogo*. Trad. de Eric Nepomuceno. São Paulo: L&PM, 2013.

KOPENAWA, Davi; ALBERT, Bruce. *A queda do céu: Palavras de um xamã yanomami*. Trad. de Beatriz Perrone-Moisés. São Paulo: Companhia das Letras, 2015.

SANTOS, Boaventura de Sousa. "Para além do pensamento abissal: das linhas globais a uma ecologia de saberes". *Novos Estudos Cebrap*, São Paulo, n. 79, nov. 2007. Disponível em: <http://www.scielo.br/scielo.php?script=sci_arttext&pid=S0101-33002007000300004>. Acesso em: 10 maio 2019.

Vídeos

CASTRO, Eduardo Viveiros de. *Os involuntários da pátria*. Conferência de abertura do ciclo *Questões indígenas* no Teatro Maria Matos, em Lisboa. Disponível em: <https://www.arquivoteatromariamatos.pt/explorar/conferencia-de-eduar-

do-viveiros-de-castro/>. Acesso em: 10 maio 2019.

AILTON *Krenak e o sonho da pedra*. Direção e roteiro: Marco Altberg. Produção: Bárbara Gual e Marcelo Goulart. Rio de Janeiro, 2017. 52 min. Documentário.

SOBRE ESTE LIVRO

IDEIAS PARA ADIAR O FIM DO MUNDO — Palestra proferida no Instituto de Ciências Sociais da Universidade de Lisboa, em ciclo de seminários coordenado por Susana de Matos Viegas, no dia 12 de março de 2019, como atividade preparatória à "Mostra ameríndia: Percursos do cinema indígena no Brasil".

DO SONHO E DA TERRA — Palestra proferida em Lisboa, no Teatro Municipal Maria Matos, no dia 6 de maio de 2017, integrada no ciclo "Questões indígenas: ecologia, Terra e saberes ameríndios", no âmbito da rede Imagine 2020, com o apoio do Programa Europa Criativa da União Europeia e como parte da programação Passado e Presente: Lisboa, Capital Ibero-Americana da Cultura 2017. Esse ciclo teve curadoria de Liliana Coutinho, programadora no TMMM, e António Pinto Ribeiro, programador-geral de Passado e Presente: Lisboa, Capital Ibero-Americana da Cultura 2017. Transcrição de Joëlle Ghazarian, publicada inicialmente na revista *Flauta de Luz*, n. 6, Lisboa, 2019.

A HUMANIDADE QUE PENSAMOS SER — Texto inicialmente produzido para o catálogo da conferência-

-dançada *Antropocenas* (2017), de João dos Santos Martins e Rita Natálio. Transcrição e edição de Marta Lança, a partir de uma entrevista conduzida por Rita Natálio e Pedro Neves Marques a Ailton Krenak em maio de 2017 em Lisboa.

PERGUNTAS INQUIETANTES — Posfácio de Eduardo Viveiros de Castro originalmente escrito para a edição francesa, *Idées pour retarder la fin du monde* (Éditions Dehors, 2020).

SOBRE O AUTOR

Ailton Krenak nasceu em 1953, na região do vale do rio Doce, território do povo Krenak, um lugar cuja ecologia se encontra profundamente afetada pela atividade de extração de minérios. Ativista do movimento socioambiental e de defesa dos direitos indígenas, organizou a Aliança dos Povos da Floresta, que reúne comunidades ribeirinhas e indígenas na Amazônia. É um dos mais destacados líderes do movimento que surgiu durante o grande despertar dos povos indígenas no Brasil, que ocorreu a partir da década de 1970. Contribuiu também para a criação da União das Nações Indígenas (UNI). Ailton tem levado a cabo um vasto trabalho educativo e ambientalista, como jornalista, e através de programas de vídeo e televisivos. A sua luta nas décadas de 1970 e 1980 foi determinante para a conquista do

"Capítulo dos índios" na Constituição de 1988, que passou a garantir, pelo menos no papel, os direitos indígenas à cultura autóctone e à terra. É coautor da proposta da Unesco que criou a Reserva da Biosfera da Serra do Espinhaço em 2005 e é membro de seu comitê gestor. É comendador da Ordem do Mérito Cultural da Presidência da República e, em 2016, foi-lhe atribuído o título de doutor honoris causa pela Universidade Federal de Juiz de Fora, em Minas Gerais. Também é autor de *A vida não é útil* (2020) e *Futuro ancestral* (2022), ambos publicados pela Companhia das Letras. Em 2023 foi eleito para a Academia Brasileira de Letras, tornando-se o primeiro indígena a ocupar uma cadeira na instituição.

1ª EDIÇÃO [2019] 9 reimpressões
2ª EDIÇÃO [2020] 13 reimpressões

ESTA OBRA FOI COMPOSTA PELA SPRESS EM ELECTRA
E IMPRESSA EM OFSETE PELA GRÁFICA SANTA MARTA
SOBRE PAPEL PÓLEN BOLD DA SUZANO S.A. PARA
A EDITORA SCHWARCZ EM ABRIL DE 2025

A marca FSC® é a garantia de que a madeira utilizada
na fabricação do papel deste livro provém de florestas
que foram gerenciadas de maneira ambientalmente
correta, socialmente justa e economicamente viável,
além de outras fontes de origem controlada.